CALEMBREDAINE

Données de catalogage avant publication (Canada)

Silvestre, Anne

    Calembredaine
    (Collection Plus)
    Pour enfants de 7 ans et plus.
    ISBN 2-89428-435-7
    I. Titre.

PZ23.S542 2000   j843'.914   C00-940414-7

L'éditeur a tenu à respecter les particularités linguistiques des auteurs qui viennent de toutes les régions de la francophonie. Cette variété constitue une grande richesse pour la collection.

Directrice de collection : **Françoise Ligier**
Maquette de la couverture : **Marie-France Leroux**
Mise en page : **Lucie Coulombe**

Les Éditions Hurtubise HMH bénéficient du soutien financier des institutions suivantes pour leurs activités d'édition :

- Gouvernement du Canada par l'entremise du Programme d'aide au développement de l'industrie de l'édition (PADIÉ) ;
- Société de développement des entreprises culturelles au Québec (SODEC).

ISBN 2-89428-435-7

Dépôt légal/1er trimestre 2000
Bibliothèque nationale du Québec
Bibliothèque nationale du Canada

Imprimé au Canada

CALEMBREDAINE

Anne Silvestre

illustré par
Béatrice Favereau

Collection Plus
dirigée par Françoise Ligier

« Je m'appelle **Anne SILVESTRE** et j'habite en France. Je suis médecin. J'aime raconter des histoires de sorcières, de fées, de forêts et de rivières. J'aime aussi le ski, les poneys, les pommes au four et les bibliothèques avec beaucoup de livres. »

Béatrice FAVEREAU a travaillé d'abord comme infographe : elle réalisait des ouvertures d'émissions télévisées, des animations par ordinateur ou des effets spéciaux pour des films. Mais ce qu'elle aime surtout c'est dessiner et peindre… avec crayons et pinceaux… pour notre plus grand plaisir ! Ses beaux cadrages, son trait plein de vitalité et d'humour mettent en valeur l'histoire de *Calembredaine*. Dans la même collection, elle a aussi illustré *Le Cyclone Marilyn*, *L'Araignée souriante* et *Aline et le grand Marcel*.

Moi, Calembredaine

Il était une fois, moi. La sorcière Calembredaine. Je suis l'une des sorcières les plus douées du royaume des sorcières. Par la force de ma pensée, je sais changer un chou-fleur en pizza (c'est facile) ou transformer une leçon de calcul en séance de cinéma (c'est plus délicat).

Il y a pourtant un domaine où je suis la sorcière la plus minable du

royaume des sorcières : la natation.

Je suis incapable de nager, même une petite brasse, même si j'ai pied. De toute façon, je ne vais jamais là où je n'ai pas pied, parce que j'ai une peur épouvantable de couler.

Or, dès qu'il fait beau, les sor-cières n'ont qu'une idée : revêtir leurs plus jolis maillots de bain et courir à la rivière. Moi aussi j'aime aller à la plage, brunir, jouer les pieds dans l'eau (pas plus haut que les genoux)... mais je dois inventer mille prétextes pour éviter de nager.

— Calembredaine, tu viens jus-qu'à l'autre rive ?

(l'autre rive ? quelle horreur !)

— Non, allez-y sans moi. Je ne peux pas me baigner parce que... euh... j'ai eu mal au ventre avant-hier.

— Calembredaine, tu veux faire un concours de plongeon?

(de plongeon? mon cauchemar!)

— Je ne peux pas plonger parce que j'ai eu une très très grave otite quand j'étais petite.

Bon, d'accord, tout cela n'est pas très malin. Je pourrais dire : « Ne comptez pas sur moi pour me mouiller plus haut que les mollets parce que je ne sais pas nager. Et je n'ai pas l'intention d'apprendre ! »

C'est impossible. Quand on est une sorcière hyper-forte comme moi, on doit être hyper-forte en tout, même en natation. Sinon de quoi on aurait l'air ? Il y a quelques sorcières moins bonnes que moi en magie qui seraient trop contentes de me prendre en défaut. Et surtout cette chipie de Carambouille qui est incapable de distinguer un philtre d'amour d'un sirop contre la toux, mais qui nage comme un dauphin.

On pourrait croire que quand on est une sorcière, il suffit d'inventer un sortilège :

Brasse, plongeon et papillon,
Désormais, je suis géniale en natation !

Eh bien, non ! On ne peut rien apprendre par magie. Une de nos maîtresses nous disait : « Ne croyez pas que la sorcellerie dispense de travailler, mes petites. Au contraire ! Toute science s'acquiert par l'effort, certainement pas par enchantement. »

La situation devient grave : on ne croit plus mes excuses. On m'a demandé de jouer à chat-dans-l'eau, j'ai dit que j'avais toussé pendant la nuit. Alors Carambouille a ricané :

— Madame Je-sais-tout-mais-j'ai-peur-de-l'eau tousse ? Comme c'est inquiétant !

Et toutes les autres idiotes ont éclaté de rire. J'étais verte de rage. J'aurais voulu transformer Carambouille en citrouille pourrie! Au lieu de cela, j'ai pris mon sac de plage et je suis partie aussi dignement que j'ai pu :

— Parfaitement j'ai un rhume, et je me fiche bien de ce que vous pensez!

Je tremblais de vexation. Dès que j'ai été hors de leur vue, je me suis arrêtée dans les roseaux. Cette chamelle de Carambouille faisait une démonstration de crawl au beau milieu du courant. Elle nage ignoblement bien cette nulle qui ne connaît pas la différence entre un miroir magique et un fond de casserole! Ah, elle croit qu'elle est meilleure que moi au moins en natation ? Eh bien, elle va voir ! Elles vont toutes voir ! Je vais apprendre et devenir la meilleure ! Même si je dois en mourir de peur et me noyer deux mille trois cent trois fois !

Oui, mais comment ? Qui va m'apprendre ? Un livre !

Il doit bien exister des livres pour apprendre à nager.

2

Cabotine

 **À la librairie, j'ai trouvé un livre très joli et plein d'images :**

APPRENDRE À NAGER

Vous découvrirez sans peur le plaisir de l'eau et vous étonnerez vos amis.

Mon rêve !

À la rivière j'ai choisi une petite anse tranquille. Le livre disait : *Nager doit être un plaisir. Choisissez un maillot de bain que vous avez joie à porter.*

Voilà une idée charmante ! Pour ce genre de choses la magie est très commode : vite un petit sortilège ! Je me suis fait un adorable maillot couleur arc-en-ciel.

— Leçon 1 : *votre corps flotte naturellement.*

— Ah ? je croyais qu'il coulait irrésistiblement.

— *Pas du tout ! Allongez-vous sur l'eau, écartez vos bras et vos jambes, emplissez vos poumons d'air. Vous flotterez en sécurité.*

Pleine de bonne volonté, j'ai écarté bras et jambes et je me suis étendue sur l'eau. J'ai coulé à pic.

L'eau est entrée dans mes yeux et dans mon nez. Je gesticulais comme une folle... Mais comme, en somme, l'eau ne me montait pas plus haut que le nombril, je me suis remise sur mes pieds et tout est rentré dans l'ordre. Bon...! Eh bien, on reprendra demain... Une noyade me suffit pour aujourd'hui.

Le lendemain, je suis retournée à la rivière bien décidée à faire la planche. Surprise : il y avait déjà quelqu'un à ma plage ! Je me suis cachée dans les roseaux.

Mais, je la connais... ! C'est la fée Cabotine ! Qu'est-ce qu'elle fait ici ? La plage des fées est plus loin vers l'aval...

Cabotine jouait avec sa baguette magique. Elle s'est fait un maillot de bain couleur coucher-de-soleil (pas

vilain du tout!) puis elle s'est ravisée et l'a changé en lever-de-soleil (ravissant!). Ensuite elle s'est assise sur une pierre pour lire un livre : APPRENDRE À NAGER. Tiens, tiens...!

Elle est descendue dans l'eau jusqu'à la ceinture. Elle a pris une grande inspiration, écarté bras et jambes et s'est étendue sur l'eau. Ça marchait. Elle flottait. Et puis ça s'est gâté : elle s'est mise à s'agiter et s'est enfoncée. Elle s'est relevée découragée :

— Vous voyez bien que je n'y arrive pas!

— *Vous y étiez presque*, a dit le livre. *Mais vous avez paniqué et vous avez fait n'importe quoi.*

— Excusez-moi, a dit Cabotine, mais quand je coule, je panique.

C'est ce moment que j'ai choisi pour me montrer :

— Bonjour... !

Cabotine a levé la tête :

— Bonjour.

Elle a vite caché son livre.

— Tu viens souvent te baigner ici ? ai-je demandé.

— Oui, c'est tranquille...

— Moi aussi, je viens pour nager en paix. Les autres sorcières m'éclaboussent et me fatiguent.

Cabotine a regardé un moment par terre, puis elle a planté ses yeux dans les miens :

— Moi, j'aimerais mieux m'amuser avec tout le monde mais je suis nulle pour nager. J'ai peur de l'eau. Je suis venue ici pour apprendre parce que j'en ai assez d'être la reine des cloches. Et si toi aussi tu rigoles, je vais ailleurs.

Je l'ai regardée avec admiration. C'est ce que j'aurais voulu avoir le courage de dire depuis longtemps.

— C'est toi qui rigoleras la première. J'ai acheté le même livre que toi et je n'arrive même pas à faire la planche un instant.

— Je ne sais pas si c'était une bonne idée, ce livre. Je n'arrive à rien.

— Mais si, ai-je dit. Je t'ai vue : tu

tiens trois secondes en faisant la planche. Moi, j'en suis incapable.

— *Je suis une très bonne idée*, a dit le livre vexé. *Et si, l'une et l'autre, vous m'écoutiez un peu, je pourrais faire de vous des championnes.*

Nous nous sommes regardées : à deux, ce sera plus facile !

3

Un raz-de-marée

 **Une semaine plus tard, nous savions faire la planche. Deux** semaines encore et nous nagions quelques brasses.

Et puis, nous nous sommes lancées dans le courant, parfaitement : six brasses chacune, sans avoir pied ! Nous étions enchantées.

— Six brasses, c'est bien, disait Cabotine assise dans l'eau. Mais ce n'est pas assez pour participer à la course des fées et des sorcières.

— Il *est vrai*, précisait le livre, *que nous n'en sommes pas encore à la compétition...*

Il n'a pas eu le temps de finir sa phrase : il y a eu un grondement et une grosse vague a remonté la rivière. Elle a tout balayé, elle nous a culbutées et nous a entraînées vers l'amont à la vitesse d'un bateau à moteur. Nous étions roulées, plongées, essorées comme des torchons dans une machine à laver. Tout ce que nous arrivions à faire, c'était

respirer quand nous avions la tête dehors.

Et puis la rivière s'est élargie comme un lac, la vague s'est calmée, nous étions arrivées à la source. Un château se dressait sur une petite île. Un grand bonhomme vert vêtu d'un costume d'algues nous attendait sur le perron. Nous sommes allées nous échouer à ses pieds.

— Merci Mascaret, a-t-il dit, tu es une bonne vague. Couchée, maintenant ! Mesdames, bienvenue chez moi !

J'espère que Mascaret ne vous a pas trop chahutées, c'est une jeune vague, elle est joueuse.

Je reprenais mes esprits. J'ai tordu mes cheveux pour en chasser l'eau et j'ai demandé :

— Qui êtes-vous ?

— Je suis le génie de la rivière. Depuis quelques semaines, j'observe vos charmants efforts pour apprendre à nager. Voyez-vous, je m'ennuie dans ce château. J'ai eu envie de faire votre connaissance. J'ai chargé Mascaret de vous inviter.

— Vous nous avez enlevées pour que nous vous amusions ?

— En quelque sorte, c'est cela, oui.

— Et si nous ne voulons pas rester ?

— Sautez à l'eau ! Vous savez nager six brasses, je crois.

— Nous sommes donc prisonnières ?

— Quel vilain mot ! Vous êtes mes invitées.

J'ai ramassé le livre qui était tout mou, tout mouillé. J'ai pensé : « Des invitées qui n'ont pas le droit de s'en aller ? Compte là-dessus, gros concombre vert ! Tout génie que tu sois, tu t'es trompé de cliente en kidnappant la plus douée des sorcières. Tu vas voir que ma magie se rit de ta prison. »

Le génie a répondu, comme s'il avait tout entendu :

— Je vous rappelle, chère mademoiselle la surdouée, que, premièrement, les génies entendent le langage de la pensée et que, deuxièmement, la magie est sans effet sur eux. Alors pour vous évader grâce à vos sortilèges, il faudra vous lever de bonne heure.

— Et alors, s'il faut faire vos quatre volontés, comment pouvons-nous désennuyer Votre Majesté ?

— Vous pourriez me conter une histoire. J'adore les histoires.

C'est là que l'idée du siècle a germé dans mon génial cerveau. Une idée si rapide que le génie n'a pas eu le temps de l'entendre. Une histoire ? mais comment donc...!

— Quelle chance ! mon amie Cabotine connaît de merveilleux contes de fées. Cabotine, si tu contais quelque chose à Monsieur le génie ?

— Moi ? mais je ne...

— Mais si ! ai-je dit en lui marchant sur le pied. Tu connais des contes magnifiques !

— *Oh oui, un conte de fées* ! a réclamé le livre entre deux éternuements.

Cabotine a deviné que j'avais un projet. Alors elle s'est assise et a commencé à conter.

4

Une idée
réconfortante

 **«Il y avait, dans l'ancien temps, une reine d'une merveil-**leuse beauté. Cette reine et le roi son époux étaient dans la désolation parce qu'aucun enfant ne naissait à leur foyer. Un jour, une fée vint trouver la reine :

— Reine, je sais quel est votre chagrin. Vous aurez de nombreux et beaux enfants à la condition que vous me donniez votre fille première-née.

— Fée, je vous le promets.

La reine dès le lendemain se trouva grosse. Elle donna le jour à un petit garçon. Elle eut encore plusieurs fils mais un jour, une petite fille naquit, belle comme les amours. On l'appela Radieuse.

La reine avait oublié sa promesse mais la fée revint :

— Reine, cette enfant m'appartient.

— Fée, laissez-moi ma petite Radieuse. C'est mon unique fille et elle est si belle.

— Reine, vous aurez d'autres filles mais une promesse est une promesse.

Et la fée emmena le bébé... »

— Que cette fée est donc cruelle, murmure le génie.

— C'*est affreux*! sanglote le livre.

« Radieuse grandit parmi les fées, poursuit Cabotine. Elle deviendrait un jour leur reine... »

Et que fait Calembredaine toute seule debout derrière cet auditoire attentif? De la magie, évidemment! Il a dit que les sortilèges sont sans effet sur les génies. Le niais! Ce n'est vrai que pour la magie ordinaire. Avec une très forte concentration de l'intelligence, on peut endormir un génie à condition que toute son attention soit détournée sur un seul sujet! D'où cette merveilleuse idée du conte de fées.

J'ai fait appel à toute la force de ma pensée et j'ai prononcé :

Léthargie, repos et gros dodo,
Génie,
Parce que je le dis, tu t'assoupis !

La tête du génie s'est mise à dodeliner et, un instant plus tard, il ronflait étalé sur son canapé. J'avais réussi! Cabotine m'a regardée avec admiration.

— *Mais nous n'avons pas terminé le conte...* a protesté le livre.

— Plus tard! a dit Cabotine. Et maintenant que faisons-nous?

— On saute à l'eau et on rentre chez nous.

— Nous ne saurons jamais nager si loin...

— Il le faudra bien. Ou alors nous restons ici comme dames de compagnie d'un génie qui s'ennuie.

— Jamais! a dit Cabotine.

Et elle s'est approchée de la fenêtre. L'eau était terriblement loin, menaçante, effrayante. Je me suis alors demandé si, tout compte fait, je ne préférais pas la situation de dame de compagnie... Mais Cabotine, pourtant pâle de peur, a enjambé la fenêtre, s'est pincé le nez et, sans un

regard vers le bas, s'est jetée à l'eau.
Elle est héroïque, ma copine !

— *Cabotine*, a couiné le livre, *vous êtes folle ! Vous ne savez presque pas nager !*

— Tu nous expliqueras dans l'eau comment on fait, ai-je dit.

J'ai pris le livre. Je suis montée sur l'appui de la fenêtre. J'ai fermé les yeux et j'ai sauté. Maman, mais qu'est-ce qui m'a pris ? Je me suis

enfoncée à une profondeur de cauchemar. Je suffoquais, je moulinais l'eau, je ne savais même pas où était la surface... Cette fois, c'était sûr, j'étais en train de me noyer... J'aurais dû rester là-haut, même comme femme de ménage du génie... Mais une main a saisi la mienne et m'a tirée vers l'air qui, en fait, n'était pas loin. Merci Cabotine !

Cabotine nageait à petits mouvements précipités comme un chiot tombé à l'eau.

— Où allons-nous ? a-t-elle demandé.

Je m'agitais en éclaboussant tout autour de moi. L'idée de toute cette profondeur sous nos pieds me terrifiait. Je me suis pourtant entendue répondre :

— On suit la rivière et on retourne chez nous.

— À la nage ?

— Oui, le courant nous aidera. À pied, on va se perdre. Il faut nous hâter, je crains que le génie ne dorme pas longtemps.

— Et s'il nous envoie ses affreuses vagues ?

Cette idée était si effrayante que nous nous sommes mises à nager plus vite.

— *Calembredaine a raison*, a dit le livre, *tirez vos bras vers l'avant et tendez les jambes. Si l'on sait nager six brasses, on sait en faire six cents ou six mille.*

Ça, c'est ce que j'appelle une idée réconfortante !

5

La compétition

 **Comme prévu, le courant nous a emportées comme des** bouchons.

— J'ai fait une découverte, a dit Cabotine après avoir nagé un moment. Au milieu, il y a un endroit où le courant est plus rapide.

— *C'est vrai*, a dit le livre, *c'est ce que l'on appelle la veine du courant. Plus vous êtes proche de la veine, plus vous allez vite.*

Nous nous éloignions du château du génie. Qui aurait imaginé que nous descendrions toute une rivière en cherchant la veine du plus fort courant, alors que nous en avions une telle peur? C'est vrai que nous avons encore cent fois plus peur de Mascaret. Et, moi aussi, j'ai fait une découverte : plus on nage vite, mieux on flotte! Génial, non?

Nous avons nagé longtemps, puis Cabotine a dit :

— Regarde, des gens sur la rive ! Que font-ils là ?

— On se renseignera plus tard, le génie est sûrement éveillé maintenant.

Et à cet instant, j'ai vu devant nous un groupe de nageurs. C'était rassurant, nous approchions sans

doute de la plage des sorcières. Nous pourrions nous y réfugier. Ils descendaient aussi la rivière. Nous allions plus vite, nous les avons rattrapés. Pendant un moment, j'ai nagé côte à côte avec la nageuse de tête. Elle m'a regardée, l'air éberlué : c'était Carambouille ! Elle a dû trouver que j'avais fait des progrès somptueux. En temps normal, j'aurais été enchantée de triompher de manière aussi éclatante mais, à ce moment, la seule chose qui m'intéressait était d'atteindre la plage et de nous y mettre à l'abri de Mascaret. Et la voilà ! On entend son grondement dans le lointain...

Cabotine et moi avons été saisies d'une telle frayeur que nous avons nagé encore plus vite. Carambouille

et les autres nageurs sont restés derrière. La plage ! Il faut atteindre la plage avant l'arrivée de Mascaret...

Enfin, la plage des sorcières !

C'est curieux, on dirait que toutes les fées et les sorcières y sont réunies. Et tout ce monde nous applaudit ! Mais que se passe-t-il, enfin ?

— Mais *bien sûr* : *la course des fées et des sorcières*! s'écrie le livre. *Cabotine, Calembredaine, c'est merveilleux, vous avez gagné!* Ah, se rengorge-t-il, *je vous avais bien dit que je ferais de vous des championnes*!

— On s'arrête, dit Cabotine. Je n'en peux plus.

Emportées par le courant, nous avons descendu encore un peu, nous avons abouti à notre petite plage, celle d'où nous étions parties.

— *Vous avez gagné la course*, répétait le livre. *Comme je suis heureux...*

Nous avons repris pied, nous sommes remontées sur la berge et nous nous sommes laissées tomber sur les galets. Le monde aurait pu

s'écrouler, nous n'aurions pas bougé tant nous étions fatiguées.

Le grondement s'est fait plus fort, l'eau s'est agitée en tous sens et, soudain, le génie est sorti de la rivière, l'air courroucé.

— Je suis scandalisé! Est-ce que ce sont là des manières, quand on est invité, d'endormir son hôte et de se sauver par la fenêtre? Je suis outré et... et...

Et il a éclaté de rire.

— ... Et il y a des siècles que je ne m'étais pas tant amusé! Ah, vous m'avez bien possédé! Calembredaine, chère amie, j'applaudis votre talent. Votre sortilège m'a endormi comme un coup de massue. Quelle magie supérieure! Et vous, chère Cabotine, vous contez divinement...

Mascaret et moi avons descendu la rivière comme des raz-de-marée. Je crois que nous avons un peu arrosé le jury de la course, mais j'ai une bonne nouvelle pour vous : vous avez gagné ! Je vous félicite.

Et à chacune, il a baisé la main avec cérémonie.

Le livre pleurait :

— *Quel succès pour un professeur de natation ! Pardonnez mon émotion...*

Mascaret, de joie, jappait et éclaboussait partout.

Et puis le génie s'est tourné vers Cabotine :

— Cabotine, accordez-moi une faveur...

— Demandez toujours...

— Racontez-moi la fin de l'histoire.

— Je vous la raconterai, c'est promis, a dit Cabotine en riant.

— Quand ?

— Bientôt. Ce sera une surprise.

Table des matières

LE PLUS DE
Plus

Réalisation :
Geneviève Mativat

Une idée de
Jean-Bernard Jobin
et Alfred Ouellet

Avant la lecture

L'apprenti sorcier

L'histoire que tu vas lire se déroule dans le petit monde des sorcières. Pour bien te préparer à ta lecture, joue les apprentis sorciers et relie le bon mot à la bonne définition.

1. Boisson magique qui inspire l'amour.
2. Gestes ou paroles permettant de jeter un sort.
3. Action de soumettre à un pouvoir magique.
4. Petit bâton aux pouvoirs fabuleux.

a. Baguette magique.
b. Philtre d'amour.
c. Enchantement.
d. Sortilège.

Des flots de mots

Une tempête a séparé les mots de leur définition. Pour les réunir, regroupe les fragments d'un même bateau.

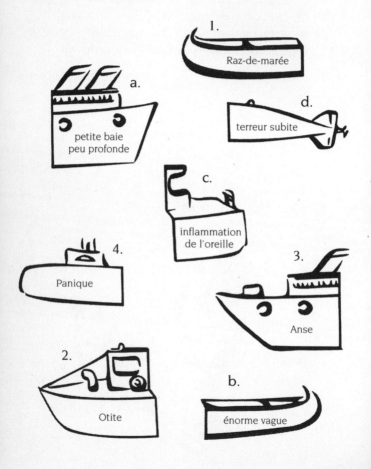

1. Raz-de-marée

a. petite baie peu profonde

d. terreur subite

c. inflammation de l'oreille

4. Panique

3. Anse

2. Otite

b. énorme vague

Au fil de la lecture

As-tu bien compris ?

1. Calembredaine est bonne en tout sauf...
   a. En patinage artistique.
   b. En natation.
   c. En ski acrobatique.

2. Cabotine et Calembredaine apprennent la nage à l'aide...
   a. D'un livre qui parle.
   b. De Merlin, le maître nageur.
   c. Du vilain petit canard.

3. Cabotine et Calembredaine sont prisonnières...
   a. Du génie de la bouteille.
   b. Du génie civil.
   c. Du génie de la rivière.

4. Calembredaine et Cabotine se sauvent du château...
   a. À la nage.
   b. En ski nautique.
   c. En bateau à vapeur.

5. Finalement, Cabotine et Calembredaine gagnent...
   a. L'oscar de la meilleure évasion.
   b. La médaille d'argent.
   c. La course des fées et des sorcières.

Mascaret se déchaîne !

Mascaret a provoqué un raz-de-marée. Tous les événements de l'histoire sont sens dessus dessous. Essaie de les remettre en ordre.

1. Calembredaine et Cabotine gagnent la course des fées et des sorcières.
2. Calembredaine se noie presque en faisant la planche.
3. Calembredaine décide d'apprendre à nager.
4. Calembredaine rencontre Cabotine.
5. Cabotine et Calembredaine sont prisonnières du génie.
6. Cabotine et Calembredaine endorment le génie.

Héros et sortilèges

Une vilaine sorcière a jeté un mauvais sort aux héros de ton livre. Les personnages ont oublié qui ils sont. Peux-tu leur venir en aide ? Essaie de relier la bonne personne au bon nom.

1. Elle est moqueuse.
2. Il enseigne la natation.
3. Elle emporte tout sur son passage.
4. Elle sait raconter des histoires.
5. Il porte un habit d'algues.
6. Elle peut changer un chou-fleur en pizza.

a. Calembredaine.
b. Le livre parlant.
c. Carambouille.
d. Le génie de la rivière.
e. Cabotine.
f. Mascaret.

Mille prétextes

Calembredaine n'ose pas avouer qu'elle a peur de l'eau. Elle invente toutes sortes de prétextes pour ne pas participer aux jeux de ses compagnes. Trouve ses petits mensonges dans la liste ci-jointe.

1. Les roseaux me font éternuer.
2. J'ai eu mal au ventre.
3. J'ai toussé pendant la nuit.
4. J'ai oublié mon petit canard en caoutchouc.
5. L'eau me donne des boutons.
6. Les algues me chatouillent les pieds.
7. Je dois rentrer chez moi, j'ai une potion sur le feu.
8. J'ai eu une otite quand j'étais petite.

La formule de Calembredaine

Pour échapper au génie de la rivière, Calembredaine utilise un enchantement. Quelle est sa formule magique ?

1. Le titi, le tata, le toto,
   Le génie va faire dodo,
   Avec son toutou, sa doudou.

2. Par le théorème de Pythagore,
   La formule algébrique et la physique quantique,
   Le génie s'endort.

3. Léthargie, repos et gros dodo,
   Ô Génie,
   Parce que je le dis, tu t'assoupis !

4. Jenifètondodo,
   Kejeparteduchato,
   Alanageouenpédalo.

L'école des sorcières

À ton avis, quelle est la morale de l'histoire que tu viens de lire?

1. Sorcière qui roule n'amasse pas mousse.
2. Il faut brasser la potion pendant qu'elle est chaude.
3. Il ne faut jamais dire : sorcière, je ne boirai pas de ton philtre.
4. Quand on veut on peut.
5. Les bons sorts font les bons crapauds.
6. Il n'y a pas de fumée sans marmite.
7. La sorcière partie, les balais dansent.

Des noms qui en disent long

L'auteure a donné des noms rigolos à ses personnages. Ces noms très spéciaux ont un sens dans le vocabulaire courant. Essaie de le trouver en reliant le bon nom à la bonne définition.

1. Cabotine (n.f.)
2. Mascaret (n.m.)
3. Calembredaine (n.f.)

a. Propos extravagant, plaisanterie cocasse
b. Une grosse vague
c. Personne qui cherche à se faire valoir

Après la lecture

Les sorcières règlent leurs contes

Les sorcières apparaissent souvent dans les contes. Relie la bonne sorcière au bon récit.

1. Elle prépare une pomme empoisonnée.
2. Elle a une maison en pain d'épice.
3. Elle endort tout un royaume.

a. La sorcière de la Belle au bois dormant.
b. La sorcière de Blanche-Neige.
c. La sorcière d'Hansel et Gretel.

Surprise

Pour le génie de la rivière et, surtout pour toi, voici la fin de l'histoire de Radieuse racontée par Cabotine :

Les années passèrent, mais la reine pensait souvent à Radieuse. Un soir, elle revêtit des habits de servante et se rendit au royaume des fées. Radieuse était maintenant longue et mince comme un roseau. Ses cheveux semblaient de lin et ses yeux étaient comme de l'eau claire. Elle était déjà assez instruite dans l'art des fées pour accomplir des charmes simples comme faire pousser les fleurs ou métamorphoser un cauchemar en joli rêve. En voyant sa fille si belle, la reine éprouva une grande joie. Elle vint désormais toutes les nuits. Elle lavait la vaisselle et passait la serpillière avec entrain, tout à son plaisir de contempler Radieuse. Les fées en étaient un peu contrariées, mais il n'était pas question d'interdire quoi que ce soit à une reine.

Un jour, la plus ancienne des fées estima que la situation avait assez duré et dit à Radieuse :

— Mon enfant, savez-vous qui est cette personne ? C'est la reine du puissant royaume. Mais c'est aussi votre mère. Elle vient pour avoir le bonheur de vous voir, mon enfant, car on vous amena ici quand vous étiez un bébé.

Radieuse se tourna vers les fées :

— Méchantes ! Pourquoi ne m'avez-vous jamais rien dit ? Vous êtes des sans-cœur et je vous quitte ! Venez, ma mère !

Les fées, en pleurs, s'écrièrent :

— Restez, Radieuse ! Vous serez un jour reine des fées.

Et la vieille fée expliqua :

— Nous ne voulions faire de peine à personne, Radieuse. Nous avons besoin de vous, car seule une princesse d'une merveilleuse beauté et possédant la science d'une fée peut devenir reine des fées. Nous ne vous avons rien dit, car nous avions peur de vous voir partir.

Radieuse hésita.

La reine alors la serra contre elle.

— Restez, Radieuse, ma chère fille. Vous serez une admirable reine des fées. C'est moi qui vous y ai engagée par la promesse que je fis jadis. Et j'en suis heureuse, car je suis fière de vous. Je viendrai vous voir souvent si vous le voulez bien et vous ferez la connaissance de vos frères et de vos sœurs.

Anne Silvestre

Solutions

Avant la lecture

L'apprenti sorcier
1. b; 2. d; 3. c; 4. a.

Des flots de mots
1. b; 2. c; 3. a; 4. d.

Au fil de la lecture

As-tu bien compris?
1. b; 2. a; 3. c; 4. a; 5. c.

Mascaret se déchaîne!
3; 2; 4; 5; 6; 1.

Héros et sortilèges
1. c; 2. b; 3. f; 4. e; 5. d; 6. a.

Mille prétextes
2; 3; 8.

La formule de Calembredaine
La bonne formule est le n° 3.

L'école des sorcières
La morale de l'histoire est l'énoncé n° 4.

Des noms qui en disent long
1. c; 2. b; 3. a.

Après la lecture

Les sorcières règlent leurs contes
1. b; 2. c; 3. a.

Dans la même collection

Ville de Montréal

J-RO

Feuillet de circulation

À rendre le		
17 OCT 2000		
03 NOV. 2000		
09 JAN. 2001		
27 MAR. 2001		
23 OCT. 01		
08 OCT. 2003		

06.03.375-8 (05-93)

- • Niveau facile
- ■ Niveau intermédiaire

* Texte également enregistré sur cassette.